跟着古诗词去旅行

大漠孤烟篇

苏莫女/编著
蒋文婕/绘

SPM 南方出版传媒
全国优秀出版社　全国百佳图书出版单位　广东教育出版社
·广州·

图书在版编目（CIP）数据

跟着古诗词去旅行.大漠孤烟篇／苏莫女编著；蒋文婕绘．—广州：广东教育出版社，2020.1

ISBN 978-7-5548-2809-0

Ⅰ.①跟…　Ⅱ.①苏…②蒋…　Ⅲ.①古典诗歌—诗集—中国　Ⅳ.①I222

中国版本图书馆CIP数据核字（2019）第087966号

责任编辑：郝琳琳　柴　瑶

责任技编：涂晓东

装帧设计：邓君豪

GENZHE GUSHICI QU LÜXING　DAMO GUYAN PIAN

跟着古诗词去旅行　大漠孤烟篇

广东教育出版社出版发行

（广州市环市东路472号12-15楼）

邮政编码：510075

网址：http://www.gjs.cn

广东新华发行集团股份有限公司经销

广州市岭美文化科技有限公司印刷

(广州市荔湾区花地大道南海南工商贸易区A幢)

889毫米×1194毫米　24开本　4.75印张　95 000字

2020年1月第1版　2020年1月第1次印刷

ISBN 978-7-5548-2809-0

定价：36.00元

质量监督电话：020-87613102　邮箱：gjs-quality@nfcb.com.cn

购书咨询电话：020-87615809

目录

陕西 古诗词的巅峰之地

甘肃　人间正道是沧桑

陕　西

古诗词的巅峰之地

写在旅行前

如果把古诗词之旅比作爬山，

那么，陕西应是顶峰了。

陕西省会西安，古称长安，是十三朝古都，

中国古诗词成就最高的唐朝也定都于此。

站在山顶上，能看到什么样的风景呢？

或许是那些身处繁华名留史册的人：

历经波折想脱离官场、回归田园，于是用诗句勾勒了一幅又一幅山水画，

这个人叫王维；

春风得意，酒入愁肠，绣口一吐就是半个盛唐，

这个人是诗仙李白；

经历国家由盛而衰，好不容易博取功名，但最终半生飘零，

感叹“烽火连三月，家书抵万金”，

这个人是诗圣杜甫；

在长安来来回回，几度往返，依然不失傲骨，

大呼“前度刘郎今又来”，

这个人是刘禹锡……

他们撑起了我们古诗词行走的高度。

当然，我们也可看远处，山也迢迢路也迢迢，
可以是“西出阳关无故人”，
可以是“城阙辅三秦，风烟望五津”，
可以是“举头红日近，回首白云低”，
总是人来人往，熙熙攘攘。

陕西既有开放、包容的大国姿态掠影，
亦有文化形态的矛盾，
当然更多的是隐藏在这些背后的人之真情。
也许，就这样吹一吹山顶的风，
赏一赏距离更近的月，
跟一朵带着露水的花打招呼，
看雁过留痕，
也不失为一段珍贵。

让那些伟大的诗人当最称职的导游，走吧！
诗意与旅行同在，诗意伴我们一生。

旅行路线图

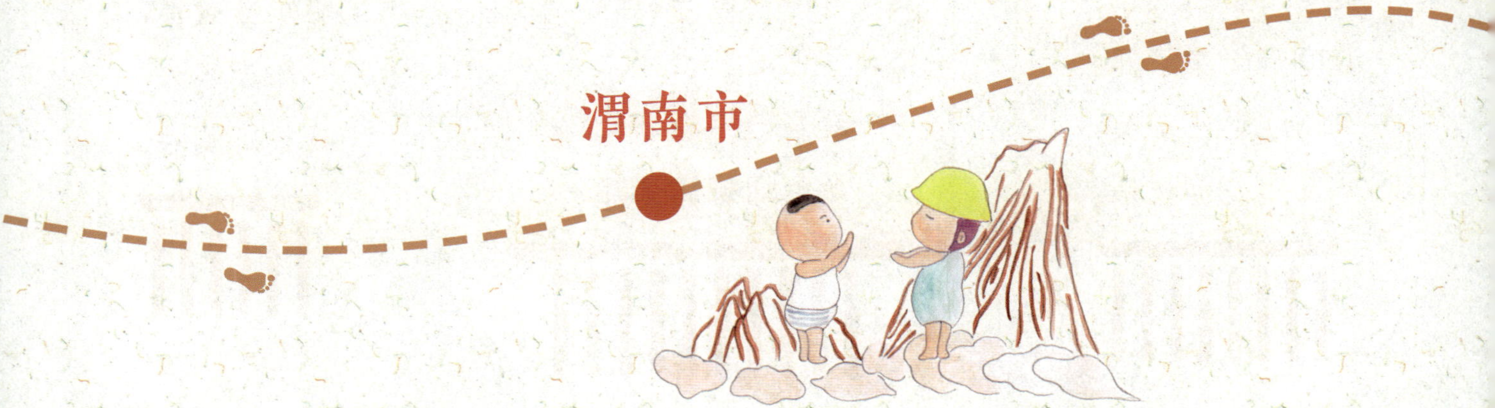
渭南市

第一站：西安市

过华清宫绝句三首（其一）

唐 · 杜牧

长安回望绣成堆，
山顶千门次第开。
一骑红尘妃子笑，
无人知是荔枝来。

早春呈水部张十八员外（其一）

唐 · 韩愈

天街小雨润如酥，
草色遥看近却无。
最是一年春好处，
绝胜烟柳满皇都。

登乐游原

唐 · 李商隐

向晚意不适，
驱车登古原。
夕阳无限好，
只是近黄昏。

送杜少府之任蜀州

唐 · 王勃

城阙辅三秦，风烟望五津。
与君离别意，同是宦游人。
海内存知己，天涯若比邻。
无为在歧路，儿女共沾巾。

送元二使安西

唐 · 王维

渭城朝雨浥轻尘，
客舍青青柳色新。
劝君更尽一杯酒，
西出阳关无故人。

终南望余雪

唐 · 祖咏

终南阴岭秀，
积雪浮云端。
林表明霁色，
城中增暮寒。

清平调词三首（其一）

唐 · 李白

云想衣裳花想容，
春风拂槛露华浓。
若非群玉山头见，
会向瑶台月下逢。

过华清宫绝句三首（其一）

唐·杜牧

长安回望绣成堆，

在长安回头远望，骊山就像一堆堆锦绣，

山顶千门次第开。

山顶上华清宫千重门依次打开。

一骑(jì)红尘妃子笑，

一骑驰来烟尘滚滚，妃子欢心一笑，

无人知是荔枝来。

没有人知道是南方送了荔枝鲜果来。

唐玄宗与杨贵妃

唐玄宗晚年爱好美色、沉迷享乐。杨贵妃倾国倾城，回眸一笑万千风情，且精通音律和舞蹈。唐玄宗对她甚是宠爱，不惜重金为她打造华清池，为她不远万里运送荔枝以博取一笑。

唐玄宗只顾宠幸杨贵妃，耽于享乐不理朝政。慢慢地，政事荒废，奸臣当道，危机凸显，安史之乱爆发，唐玄宗和杨贵妃仓皇出逃，随行大军行至马嵬（wéi）坡，将士们停步不前，宣称要杀死红颜祸水的杨贵妃。唐玄宗内心虽百般不舍，但此时身为天子却也无能为力，最终为了安抚将士，平息怒火，赐死了杨贵妃。

华清宫

华清宫是中国唐文化旅游的标志性景区，背靠骊山，规模宏大，建筑恢宏壮丽。华清宫与颐和园、圆明园、承德避暑山庄并称为中国四大皇家园林。

华清宫内出土了许多文物珍宝。

北魏的“温泉颂”碑：国家首批书法艺术名碑、全国禁拓名碑之一，是华清宫现存最早的文字实物资料。

民国的蒋介石手谕：西安事变爆发前期，蒋介石的密函。

唐代的三彩鸱（chī）吻：古建筑屋脊两端的一种饰物。

唐代的三彩套兽：套在屋檐的端头，防止屋檐遭雨水侵蚀。

早春呈水部张十八员外（其一）

唐·韩愈

天街小雨润如酥，

京城的街道上小雨纷纷落下，
就像酥油一样细密，

草色遥看近却无。

远看小草连成一片，
近看却又好像看不见了。

最是一年春好处，

早春是一年中最美丽的季节，

绝胜烟柳满皇都。

比满城柳树的春末要漂亮得多。

“春”的成语

春风得意　比喻一个人官场腾达或者事业顺心时扬扬得意的样子。

满面春风　形容愉快和蔼的面容。

雨后春笋　在春天，下过雨后竹笋长得很多很快。比喻新事物大量出现。

妙手回春　指医生的医术高明，能够把垂危的病人治好。

如坐春风　好像置身于和暖的春风里。形容受到良师的教诲和熏陶。

西安回民街

西安回民街位于西安市鼓楼边，是西安著名的美食文化街区。走在街区内，随处可见中国传统建筑风格和穆斯林建筑风格的融合，当然，美味的陕西小吃也是回民街的一大特色。

羊肉泡馍：羊肉汤讲究肉烂汤浓，有暖胃的功能。“馍”是一种白面烤饼，吃的时候将其掰碎放入汤中，掰得越小越好，以便肉汤能够充分渗入馍中。

肉夹馍：将烤制好的饼切开，把肉或者菜夹进其中，肉夹馍就完成了。虽然简单，但那种酥而不腻的感觉却让人回味无穷。

凉皮：将面皮或米皮切细，加入黄瓜丝、面筋、香菜等，再淋上特制的酱汁，根据自己的喜好加入辣椒油，搅拌均匀，色香味俱全的凉皮一定不可错过。

登乐游原

唐·李商隐

向晚意不适，

傍晚的时候心情不好，

驱车登古原。

驾着车登上古原。

夕阳无限好，

夕阳无限美好，

只是近黄昏。

只不过已经接近黄昏。

李商隐的绝美情诗

李商隐是晚唐的著名诗人，留下了许多优秀的诗作，其中，情感真挚、风格凄美的爱情诗，别有一番意韵。

“此情可待成追忆，只是当时已惘然。”

——那些美好的事情只能留在回忆之中，而在当时看来，那些事都只是平常罢了，人们并不知珍惜。

“春蚕到死丝方尽，蜡炬成灰泪始干。”

——春蚕结茧到死时，丝才吐完；蜡烛要燃尽成灰时，像泪一样的蜡油才能滴干。

“身无彩凤双飞翼，心有灵犀一点通。”

——身上没有彩凤的双翼，不能比翼齐飞；内心却像灵犀一样，感情息息相通。

“直道相思了无益，未妨惆怅是清狂。”

——即便相思全然无益，也不妨抱着一腔痴情惆怅终身。

青龙寺遗址

青龙寺遗址位于西安市城南的乐游原上，是一座佛教寺院。唐朝时期，佛教盛行，青龙寺甚至对日本的宗教发展都产生了深远的影响。

唐朝时期，日本的空海法师来到青龙寺，惠果禅师将自己的毕生所学传授给空海。空海回到日本后，成为开创“东密”的祖师，青龙寺也因此成为日本人心目中的圣寺。青龙寺建于隋朝开皇二年，后来，在乐游原青龙寺遗址上以隋朝木构殿堂为样本建造了惠果空海纪念堂，其中有惠果和空海的石刻像，记录着当时中日的文化交流和友好往来。

青龙寺内有着成千上万株樱花树，每年的三四月，樱花开得正好，有一种姹紫嫣红、春意盎然的感觉。

送杜少府之任蜀州

唐·王勃

城阙（què）辅三秦，
风烟望五津。

雄伟的长安城由三秦之地环绕，
透过风云烟雾遥望着四川之地的五津。

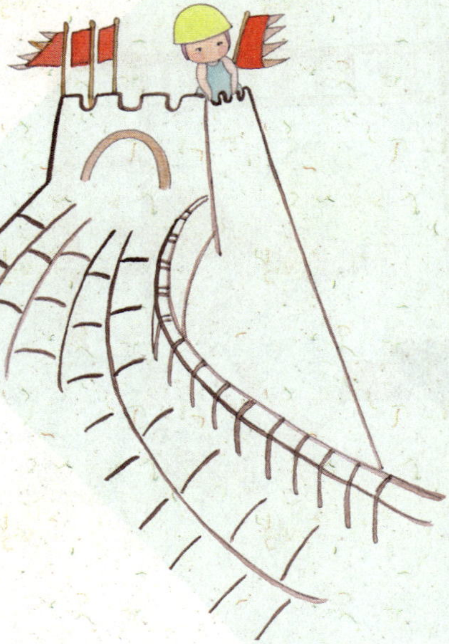

与君离别意，
同是宦（huàn）游人。

和你分开很忧伤，
因为我们都是在官场上起起伏伏的人。

海内存知己，天涯若比邻。

只要世界上还有你这个知己，就算你远在天涯也如近在身边。

无为在歧（qí）路，
儿女共沾巾。

我们在路口分别之时，
不要像小孩子那样哭哭啼啼。

“三秦”和“五津”

三秦，是现在关中地区的别称。秦朝灭亡后，项羽将秦朝的故地一分为三：令雍王领今陕西中部咸阳市以西和甘肃东部地区；塞王领今陕西咸阳市以东地区；翟王领今陕西北部地区。

五津，是指四川岷江古有的白华津、万里津、江首津、涉头津、江南津五个著名渡口，诗中泛指蜀川。

西安古城墙

西安古城墙，又称西安明城墙，位于西安市市中心，是中国现存规模最大、保存最完整的古代城垣。古城墙的主城门有四座：长乐门（东门）、永宁门（南门）、安定门（西门）、安远门（北门），后为了方便进出，又先后开辟了多座，现共有18座城门。

来到西安，一定要在古城墙上走一走，可以环城漫步，也可以骑上自行车。夜晚的古城墙灯火辉煌，极其壮观，不容错过。

送元二使安西

唐·王维

渭城朝雨浥(yì)轻尘，

清晨的细雨打湿了渭城地面的灰尘，

客舍青青柳色新。

客舍周围的青青柳树格外清新。

劝君更尽一杯酒，

真诚地再敬我的朋友一杯酒，

西出阳关无故人。

从这里往西去，出了阳关，你就很难见到家乡的老朋友了。

王维：诗中有画，诗中有乐

王维是唐代著名诗人、画家，他的“诗中有画”，在许多诗句中都有表现：

《使至塞上》：“大漠孤烟直，长河落日圆。”

《田园乐七首（其五）》：“山下孤烟远村，天边独树高原。”

《山居秋暝》：“明月松间照，清泉石上流。”

《积雨辋（wǎng）川庄作》：“漠漠水田飞白鹭，阴阴夏木啭（zhuàn）黄鹂。”

王维在音乐方面的造诣也非常高，其《送元二使安西》一诗，又名《渭城曲》，后被编入乐府，广为传诵。王维的“诗中有乐”，也是一大特色：

《鸟鸣涧》：“人闲桂花落，夜静春山空。月出惊山鸟，时鸣春涧中。”

《鹿柴（zhài）》：“空山不见人，但闻人语响。”

大慈恩寺

大慈恩寺位于西安市南，是唐代长安城内最著名、最恢宏的佛寺。

现存最早、规模最大的唐代四方楼阁式砖塔——大雁塔位于大慈恩寺内，因此大雁塔又名“慈恩寺塔”，在中国佛教史上具有十分突出的地位。

大雁塔广场以大雁塔为中心，是亚洲最大的唐文化主题广场。

终南望余雪

唐·祖咏

终南阴岭秀，

从长安城望终南山的北面，
景色秀美，

积雪浮云端。

皑皑的积雪仿佛飘在白云上面。

林表明霁（jì）色，

雪后初晴，树林的表面披着一层落日的余晖，

城中增暮寒。

傍晚时分，长安城内似乎比之前更冷了。

“雪”的成语

雪中送炭 比喻在别人急需的时候给予帮助。

雪上加霜 比喻一再地遭受磨难，损害的程度变得越来越重。

雪泥鸿爪 鸿雁在雪上踏过留下的痕迹。比喻往事遗留下的痕迹。

冰天雪地 冰雪漫天盖地，形容非常寒冷。

阳春白雪 战国时期楚国的一种高雅的歌曲，后来泛指高深的、不通俗的文学艺术，比喻高深难懂。

终南山

终南山是秦岭山脉的一段，位于西安市南。终南山的文化底蕴深厚，道文化、佛文化、孝文化、寿文化等都在此有所体现，相传道教全真道的创始人王重阳曾在此修道，我们常说的“福如东海，寿比南山”中的“南山”也是指终南山。

翠华山是终南山一脉，翠华山风景区由碧山湖景区、天池景区和山崩石海景区组成。天池位于海拔1000多米处，池水晶莹碧澄。天池的西面是翠华山奇特的冰洞和风洞，夏天走进这两个洞中，清凉舒爽。翠华山的山崩地貌类型众多、保存完整，有“中国地质地貌博物馆”之称，对于研究山崩地质作用有重大的科学价值。

清平调词三首（其一）

唐·李白

云想衣裳花想容，

云朵见了她，想要她绚丽的衣裳，
花朵见了她，也觉得她笑起来特别好看，

春风拂槛（jiàn）露华浓。

她就像一朵带着露珠的牡丹花沐浴着春风。

若非群玉山头见，

如果不是在群玉山头见到她，

会向瑶台月下逢。

就一定能在瑶池的月光下再相逢。

清平调词三首（其二）

唐·李白

一枝红艳露凝香，
云雨巫山枉断肠。
借问汉宫谁得似，
可怜飞燕倚新妆。

清平调词三首（其三）

唐·李白

名花倾国两相欢，
长得君王带笑看。
解释春风无限恨，
沉香亭北倚阑干。

兴庆宫公园

兴庆宫公园位于西安古城墙的东面，是在原唐兴庆宫遗址的基础上修建的公园，集文化娱乐和遗址保护为一体。

兴庆湖是园中的主要景点之一，湖沿岸垂柳依依，湖中有游船穿梭，湖的四周有南薰阁、彩云间等仿唐建筑。南薰阁内廊亭回转、小桥流水，二层的阁楼壮观高大、金碧辉煌。南薰阁位于兴庆湖正北边的半岛上，与沉香亭和花萼相辉楼三角对峙、隔水相望，是园内三个最雄伟的建筑。沉香亭位于公园的中央大道上，周围栽植着牡丹、芍药等，其碧色琉璃瓦和雕梁画栋的朱柱，极为壮丽。花萼相辉楼位于公园的西门入口处，红柱挺拔，金匾高悬，象征着全国各民族的团结。

互动任务单

请用一种花形容妈妈，并描述原因。

第二站：榆林市

陇西行四首
（其二）

唐 · 陈陶

誓扫匈奴不顾身，
五千貂锦丧胡尘。
可怜无定河边骨，
犹是春闺梦里人。

陇西行四首（其二）

唐·陈陶

誓扫匈奴不顾身，

唐朝将士誓死打败匈奴奋不顾身，

五千貂（diāo）锦丧胡尘。

五千身穿锦袍的精英战士，
战死在战场的尘土中。

可怜无定河边骨，

可怜被遗弃在无定江边的战士的白骨，

犹是春闺梦里人。

他们依旧是家中少妇思念的梦中人。

解析《陇西行四首（其二）》

《陇西行四首（其二）》借咏汉代李陵征伐匈奴而全军覆没的史实，深刻地反映了边塞战争给人民带来的苦难，寄托了作者对和平安定的向往。

“誓扫匈奴不顾身，五千貂锦丧胡尘”，描绘了悲壮的激战场面，表现了将士们忠勇敢战、不惧生死的气概。“可怜无定河边骨，犹是春闺梦里人”，通过描写闺中妻子满怀热切的美好愿望，不知征战的丈夫已战死，仍然日日夜夜的思念着，与血淋淋的现实形成鲜明对比，强化了全诗的悲剧色彩。

红石峡和镇北台

红石峡位于榆林市北，东西红岩对峙，榆溪河水穿峡而过。峡内树木青翠，流水清冽，夕阳西照时，就像红霞升起，形成“榆林八景”之一的“红山夕照”景观。

红石峡的东崖有雄山寺，雄山寺依山傍水，殿宇都是悬崖上凿的石窟，寺内有工艺精巧的石刻佛像。古时文人墨客喜好在红石峡题刻，题刻大小不一、字体各异，因此红石峡的崖壁就像天然碑林，颇为壮观，是书法艺术的一大宝库。

镇北台有“中国长城三大奇观之一”和“万里长城第一台”的美誉，与红石峡相距不远。镇北台共四层，方正整齐，登上台顶可一览榆林景观。

互动任务单

和爸爸妈妈聊一聊你所理解的战争与和平。

第三站：渭南市

咏华山

北宋·寇準

只有天在上，
更无山与齐。
举头红日近，
回首白云低。

咏华山

北宋·寇準

只有天在上，

比华山高的只有蓝天，

更无山与齐。

再没有比这座山更高的了。

举头红日近，

抬起头仿佛与红日接近，

回首白云低。

低下头能看到白云。

中国五岳

北岳恒山（山西省大同市）

东岳泰山（山东省泰安市）

西岳华山（陕西省渭南市）

中岳嵩山（河南省郑州市）

南岳衡山（湖南省衡阳市）

寇準“三步成诗”

寇準（zhǔn）自幼聪明过人，擅长吟诗作对。有一天，他的父亲宴请宾客，酒过三巡，便有宾客提议让寇準即兴吟诗一首，当时只有7岁的寇準毫不推脱，便请宾客们出题，有人说道：“这里离华山不远，不如就以华山为题吧。”只见寇準踱步思索，第一步，第二步，第三步刚迈出，他便兴高采烈地说：“大家见笑，有了！”说罢，一首五言绝句脱口而出，这便是《咏华山》一诗。大家都被幼年寇準的才华而折服，赞叹寇準将来必成大器。果不其然，寇準40岁出头时便成了北宋宰相。

华　山

华山位于渭南市华阴市，有着“奇险天下第一山”的称号。华山的主要山峰有东峰、西峰、南峰、北峰和中峰，其中北峰最低，南峰最高。

华山有“自古华山一条道”的说法，其山势险峻，处处是悬崖峭壁。如千尺幢，它是一条峭壁上的大裂缝，近400级台阶，坡度极陡，俯视脚下如临深渊。过千尺幢向北便到了百尺峡，百尺峡危石耸峙，直插云霄。再如华山南峰绝壁上筑有的长空栈道，这是华山极为惊险的一段，游客需面壁挪步，谨慎前行。

华山的海拔较高，山上气候多变，攀爬华山时记得多带些厚衣服。另外，爬山过程中一定要极为小心、注意安全，不要嬉戏打闹。

互动任务单

你和爸爸妈妈爬上华山的最高峰了吗？

甘　肃

人间正道是沧桑

写在旅行前

我们总是在说国家发展、社会发展、人类文明，
但这些东西都是无形的，与孩子的生活有一定的距离，
孩子无法理解，也太正常不过。
但如果，把历史事件铺在每一条路上，
带着孩子开启这段旅程，就像玩冒险岛的游戏，
到一个地方捡一个宝物，到一个地方捡一个宝物。
当走完这条路时，
你希望他了解的所有，都会在他的行囊里。

甘肃、青海、新疆，就是这样一条路，
它苍凉，广阔，且丰富。
虽然这一线路目前依然存在着旅行条件不太成熟的诟病，
但带着孩子从甘肃开始走一趟，去感受这漫长与沧桑，
也是一件极其好的事情。

“羌笛何须怨杨柳，春风不度玉门关”，

玉门关展示着丝绸之路的繁华，

我们似乎能听到几千年前驼队经过的铃铛声；

“黄沙百战穿金甲，不破楼兰终不还”，

戍边战士们的豪情壮志淋漓尽显；

“由来征战地，不见有人还”，

战场凶险，却仍义无反顾，这是怎样的忠肝义胆和爱国情怀；

“大漠孤烟直，长河落日圆”，

壮丽的沙漠景观，映衬着汉武帝两次出塞威慑匈奴的霸气……

当然，在这片充满故事的土地上，

除去悲凉，

也有“道傍榆荚巧似钱，摘来沽酒君肯否”的生动生活。

以上种种，不用言语修饰，不需要过多的解读，

带着孩子开启行程，

如同日常交流般地，把你了解的史实与知识告知，他即可明白。

如果非要给这段旅程加一个定义，

我会选择这样一句话：

人间正道是沧桑。

旅行路线图

武威市

第一站：敦煌市

凉州词二首（其一）

唐 · 王之涣

黄河远上白云间，
一片孤城万仞山。
羌笛何须怨杨柳，
春风不度玉门关。

从军行七首（其四）

唐 · 王昌龄

青海长云暗雪山，
孤城遥望玉门关。
黄沙百战穿金甲，
不破楼兰终不还。

关山月（节选）

唐 · 李白

明月出天山，苍茫云海间。
长风几万里，吹度玉门关。
汉下白登道，胡窥青海湾。
由来征战地，不见有人还。

凉州词二首（其一）

唐·王之涣

黄河远上白云间，

极目远眺，黄河越来越远，好像奔流在白云之间，

一片孤城万仞（rèn）山。

在高山之中，
只有玉门关这一座孤城耸立在那里。

qiāng
羌笛何须怨杨柳，

何必用羌笛吹着哀怨的杨柳曲，
埋怨春天迟迟不来，

春风不度玉门关。

玉门关这一带是春风吹不到的地方啊。

“玉门关”的相关诗词

唐朝戴叔伦的《塞上曲二首（其二）》：

“愿得此身长报国，何须生入玉门关。”

唐朝戴叔伦的《闺怨》：

“不识玉门关外路，梦中昨夜到边城。”

唐朝骆宾王的《在军中赠先还知己》：

“魂迷金阙路，望断玉门关。”

唐朝令狐楚的《从军词五首（其五）》：

“可怜班定远，生入玉门关。”

宋朝陆游的《新秋》：

“犹胜玉门关外客，卧听沙雁数归期。”

玉 门 关

玉门关位于敦煌市城西北的戈壁滩上，相传和田玉经此处输入，因而得名“玉门关”。现存的小方盘城是汉代玉门关遗址，城垣总体呈方形。在关城附近有一段汉长城遗址，除此外周围基本上是一望无际的戈壁滩，还有一些顽强生长的沙生植物和胡杨，非常辽阔壮美。

玉门关不仅是军事要塞，也是守边将士家国情怀、视死如归等的体现。来到现存的玉门关遗址，一起吟诵着古诗，感受诗人笔下所描绘的豪情壮志吧。

从军行七首（其四）

唐·王昌龄

青海长云暗雪山，

青海湖上乌云密布，
连绵的雪山一片暗淡，

孤城遥望玉门关。

边塞孤城与玉门关远隔千里，遥遥相望。

黄沙百战穿金甲，

驻守边疆的战士身经百战，

身上穿的铠甲都磨破了，

不破楼兰终不还。

可是他们仍大志不灭，不打败进犯的敌人绝不返回家乡。

与“楼兰”相关的古诗词

楼兰古国是早期的西域三十六国之一，诗人经常用“楼兰”指代入侵的少数民族，用“破楼兰”“斩楼兰”等来指代战争胜利、立下赫赫战功。

唐朝王勃的《陇西行（其八）》：“开壁左贤败，夹战楼兰溃。”

唐朝岑参的《胡笳歌送颜真卿使赴河陇》：“吹之一曲犹未了，愁杀楼兰征戍儿。”

唐朝张九龄的《送赵都护赴安西》：“自然来月窟，何用刺楼兰。”

唐朝李白的《塞下曲六首（其一）》：“愿将腰下剑，直为斩楼兰。”

唐朝杜甫的《秦州杂诗二十首（其七）》：“属国归何晚，楼兰斩未还。”

敦煌莫高窟

敦煌莫高窟，是世界上现存规模最大、内容最丰富的佛教石窟艺术宝库。与山西大同云冈石窟、河南洛阳龙门石窟、甘肃天水麦积山石窟并称为“中国四大石窟”。

莫高窟有近500个洞窟。17号洞窟，因在其中发现的内容主要是佛经的文书、纸画、刺绣等文物，又名藏经洞。96号洞窟内有莫高窟第一大佛，洞窟前的建筑为九层楼，是莫高窟的一大标志。

关山月（节选）

唐·李白

明月出天山，
苍茫云海间。

一轮明月从祁连山升起，
穿行在苍茫云海之间。

长风几万里，吹度玉门关。

浩荡的长风吹越几万里，吹过将士驻守的玉门关。

汉下白登道，
胡窥(kuī)青海湾。

当年汉兵直指白登山道，
吐蕃觊觎着青海湾。

由来征战地，
不见有人还。

这里是历代征战之地，
出征将士很少能够生还。

解析《关山月》

《关山月》一诗描写了远离家乡的戍边将士和家中妻室的相互思念之情，反映了战争带给人们的痛苦。

“明月出天山，苍茫云海间。长风几万里，吹度玉门关。”这四句描绘了一幅辽阔的边塞图景。征战的将士们在边疆看到这样的情景，思念故土的情绪油然而生。

“汉下白登道，胡窥青海湾。由来征战地，不见有人还。”这四句描绘了将士们出征时的情景，道出了出征的凶险——几乎无人能生还。

诗的最后四句是“戍客望边邑，思归多苦颜。高楼当此夜，叹息未应闲。”这四句描绘了战士们思念家乡、思念妻子的情景，以及他们的愁苦和叹息。在整首诗描绘的辽阔场景下，这种感情显得更加深沉和无奈。

鸣沙山月牙泉风景区

鸣沙山由细沙聚积而成，起伏蜿蜒，远看就像一座金山，因有风吹过时沙子发出响声而得名。白天游人爬鸣沙山留下的脚印，第二天便会全部消失。月牙泉被鸣沙山环抱，水面的形状像月牙，曲折萦回。泉的四周被流沙包围，但泉水清澈明亮，且不干涸。

来到鸣沙山月牙泉风景区，可以赤脚感受一下沙子的绵软，再爬上鸣沙山顶，俯瞰四周；可以乘“沙漠之舟”——骆驼观赏沿途风景，体验大漠驼铃的壮美景色；可以在鸣沙山顶看气势磅礴的日出日落；也可以在泉边漫步，感受月牙泉的美丽与神奇。

互动任务单

查找敦煌壁画的资料，选择其中一幅向爸爸妈妈描述一下，画中描绘了什么。

第二站：武威市

使至塞上（节选）

唐 · 王维

大漠孤烟直，
长河落日圆。
萧关逢候骑，
都护在燕然。

戏问花门酒家翁

唐 · 岑参

老人七十仍沽酒，
千壶百瓮花门口。
道傍榆荚巧似钱，
摘来沽酒君肯否？

使至塞上（节选）

唐·王维

大漠孤烟直，

浩瀚沙漠中孤烟直上，

长河落日圆。

黄河边上的落日浑圆。

萧关逢候(hòu)骑(jì)，

在萧关遇到负责侦察、通讯的骑兵，

都(dū)护在燕(yān)然。

他告诉我，都护已经在燕然。

王维的故事

王维从小就很有胆识。有一年，知县在书上看到当地有一种吃了可以长命百岁的石胆，他就命老百姓们去找。但是根本没有这种东西，老百姓们都空手而归。知县很生气，他认定是百姓们私藏了石胆，便把百姓们抓进了监狱。

幼小的王维知道这件事情后，他捡了几块石头上交给知县，说：“石头是有的，但是石胆没有。”知县说：“书上记载了有，怎么可能没有呢？”王维不慌不忙地回答道：“书上也记载了龙和凤凰，那您能找到吗？”知县顿时无话可说，立即释放了无辜的百姓。

武威文庙

武威文庙位于武威市东南角，有着“陇右学宫之冠”的称号，是历代文人墨客祭祀孔子的地方。文庙包含文昌宫、孔庙和凉州府儒学院三部分，庙内古柏参天，清静幽雅。

武威文庙也是武威市博物馆的所在地。武威市博物馆是甘肃省第二大历史博物馆，馆藏的西夏文物、佛教文物、汉唐文物等都有着鲜明的地方特色和民族风格，对古代凉州的相关研究有着重大价值。

戏问花门酒家翁

唐·岑参

老人七十仍沽（gū）酒，

这位老人家七十岁了仍然在卖酒，

千壶百瓮(wèng)花门口。

上千个酒壶和酒瓮摆放在花门楼口。

道傍榆(yú)荚(jiá)巧似钱，

道路旁的榆荚看起来很像一串串铜钱，

摘来沽酒君肯否？

我摘下来用它买酒，您卖不卖？

白雪歌送武判官归京

唐 · 岑参

北风卷地白草折，胡天八月即飞雪。
忽如一夜春风来，千树万树梨花开。
散入珠帘湿罗幕，狐裘（qiú）不暖锦衾薄，
将军角弓不得控，都护铁衣冷难着。
瀚（hàn）海阑（lán）干百丈冰，愁云惨淡万里凝。
中军置酒饮归客，胡琴琵琶与羌笛。
纷纷暮雪下辕门，风掣（chè ）红旗冻不翻。
轮台东门送君去，去时雪满天山路。
山回路转不见君，雪上空留马行处。

“石窟鼻祖”天梯山石窟

天梯山石窟位于武威市凉州区，又称凉州石窟，是中国开凿最早的石窟，是云冈石窟、龙门石窟的源头，被称为“石窟鼻祖”。天梯山石窟仅存3层，有大小洞窟17个，洞窟内残存着一些壁画和塑像，具有很高的研究价值。

天梯山的山峰陡峭巍峨，山上有石阶，拾级而上，形如悬梯，所以称为天梯山。天梯山的山巅常年积雪，形成“天梯积雪”的景观。

互动任务单

你看到沙漠中的骆驼了吗？骆驼长什么样子呢？

古诗词小旅行

敦煌莫高窟是中国四大石窟之一

“一骑红尘妃子笑”中的“妃子”是指谁

大雁塔位于西安市

背诵《登乐游原》

王维，字摩诘

“大漠孤烟直”的下一句是什么

陕西省的省会是西安市

“夕阳无限好，只是近黄昏”是谁写的

游戏规则：①掷骰子，根据点数从起点前进相应步数。②根据格子上的提示前进或后退。

③格子上有问题时，回答正确方可停留，回答错误需后退一格。

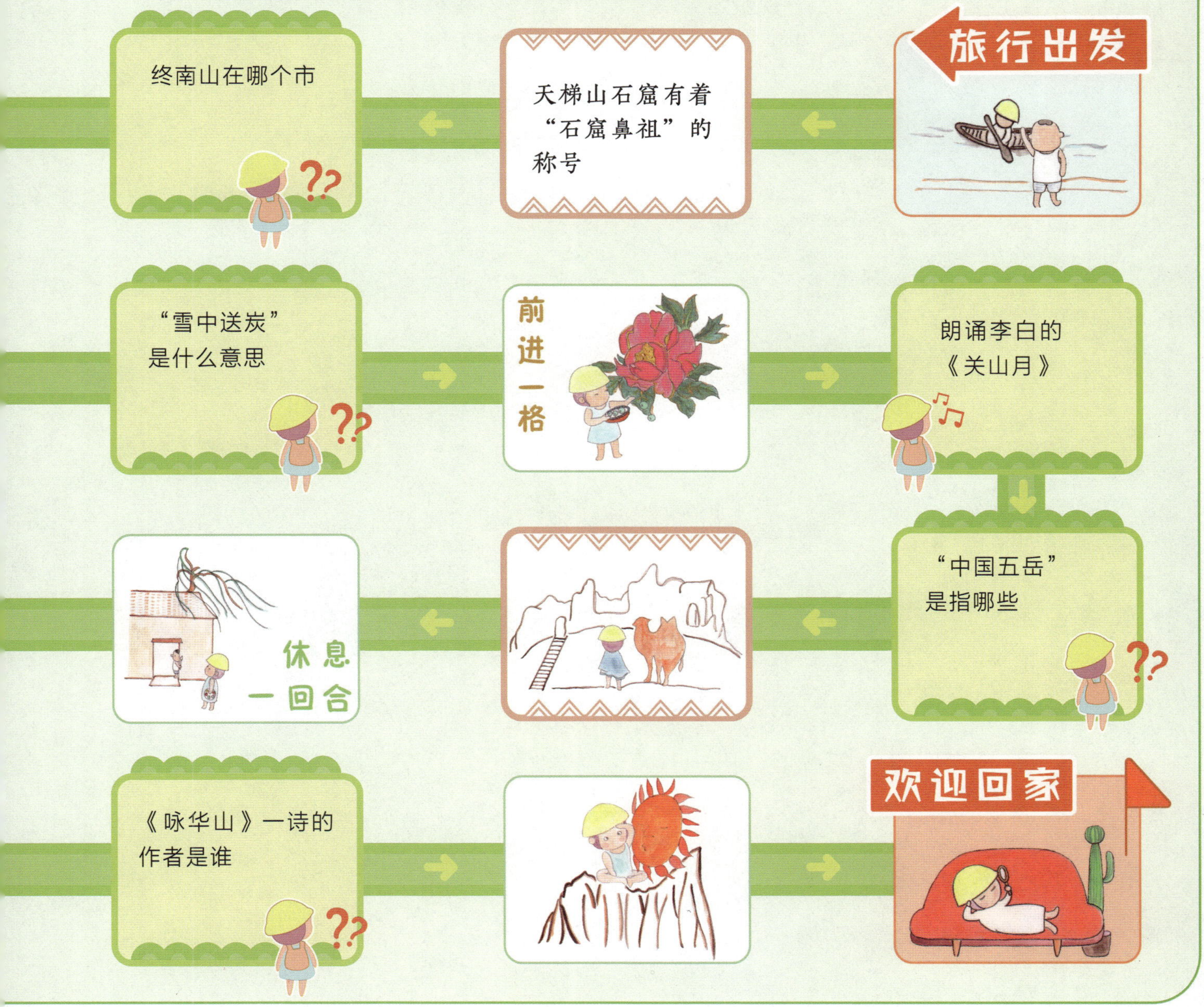